Y EN A MARRE D CAUCHEMARS !

de Marc Cantin
illustré par Jean-François Martin

CHAPITRE 1

– **K**iiikiiii !

Estelle, ma grande sœur, m'appelle Kiki. J'ai horreur de ça et elle le sait.

– Kiki, viens.

Je me lève et je sors de ma chambre. Personne. C'est étrange, j'aurais pensé qu'Estelle était derrière ma porte…

– Kiki, dépêche-toi.

Je parie qu'elle se cache dans la salle de bains. Je m'avance dans le couloir. Il fait sombre. Mes pieds s'enfoncent dans la moquette. Hé ! On dirait que le sol bouge. Holà ! Je m'appuie contre le mur pour ne pas tomber.

3

– Kiki, rejoins-moi...

Minute, j'arrive. Je fais ce que je peux...
Et ce couloir qui penche de l'autre côté,
maintenant. Oooh ! Je commence à
avoir le mal de mer.

– Entre, Kiki, entre...

Je pose enfin la main sur la
poignée de la salle de bains.
Elle va m'entendre ma sœur !
Je pousse la porte en criant :

– T'as bientôt fini de m'appeler
Ki...

En face de moi se tient un
homme au teint pâle et
aux yeux rouges.

Il termine de se
brosser avec soin
les deux canines
pointues qui dépassent à
chaque coin de sa bouche.

– Alors, Kiki, tu en as mis
du temps, me dit-il avec
la voix de ma sœur.

La porte se referme derrière moi. La clé
tourne sans que personne la touche, puis elle
s'envole au-dessus de ma tête avant d'atterrir
dans la main de l'homme.

– V... Vous êtes... un vampire !

– Bien vu, Kiki, sourit-il en s'approchant.

Je tire sur la poignée. Rien à faire. Je frappe
contre la porte des deux poings :

– AU SECOURS ! À L'AIDE !
Je sens le souffle chaud du
vampire dans mon cou.

– AU SECOURS ! AU SEC...
– Éric ! Qu'est-ce qu'il y a ? s'écrie
Maman en entrant dans ma
chambre.
– Y en a marre ! râle ma sœur en
arrivant à son tour. On ne peut pas
dormir dans cette maison !

Moi, je suis à genoux sur mon matelas, les poings écrasés contre la tête de mon lit.

– J'… J'ai encore fait un cauchemar, je bafouille en me tournant vers Maman.

Elle se précipite pour me serrer contre elle :

– Mon pauvre Éric, murmure-t-elle tendrement.

– Mon pauvre Érikikiii, gnagnagna, répète ma sœur avant de retourner se coucher.

Ce matin, je bâille encore en arrivant à l'école. Heureusement, ici, les copains ne m'appellent pas Kiki.

– Salut, Éric ! me lance Tonio. Tu fais une drôle de tête, ce matin. On dirait que tu as passé la nuit avec un vampire.

Ce n'est pas un hasard si Tonio parle de vampire. Tonio ne parle que de ÇA. Parfois, il parle aussi de loups-garous et de morts vivants. Mais sa grande spécialité, c'est les vampires. Dans la cour, il fait un malheur. Il apporte des livres en cachette à l'école. Des livres avec des dessins de vampires tellement bien faits qu'on dirait des vrais.

– Hé, vous savez que c'est la pleine lune, ce soir ? crie bien fort Tonio pour que tous les copains rappliquent.

Là, normalement, je devrais me boucher les oreilles. Mais ça, c'est impossible. Tout le monde va se moquer. Et puis j'ai envie de savoir ce qui va se passer cette nuit...

– Les soirs de pleine lune, continue Tonio, les vampires restent chez eux, dans leur cercueil.

Je pousse discrètement un soupir de soulagement.

– ... car les soirs de pleine lune, reprend Tonio, les loups-garous sont affamés et se jettent sur tout ce qui bouge ! Crrrrr !

La cloche sonne juste à temps et nous allons nous mettre en rang.

– T'es tout blanc, me dit Tonio. On dirait un mort vivant.

Ah oui, j'avais oublié : en classe, Tonio est assis à côté de moi.

CHAPITRE 3

En sortant de l'école, je suis encore plus fatigué.

– Hé ! Kiki !

Ça alors ! Ma sœur ! Elle est venue me chercher !

– Qu'est-ce que tu fais là ? je lui demande.

– Viens, je t'emmène faire un tour.

– Maman est d'accord ? je dis.

– Arrête de poser des questions et suis-moi.

Elle me tire par la main. Nous remontons les rues en direction du centre-ville. Elle marche d'un pas décidé, sans rien ajouter. La place du Champ-de-Mars est bientôt en vue : une grande roue apparaît.

– La fête foraine ! Tu m'emmènes faire un tour de manège ?

– T'as deviné, fait ma sœur.

– Les autos tamponneuses ? Le toboggan géant ? La grande roue ? Oh oui, la grande roue !

– Non, coupe ma sœur. Le train fantôme.

– J... Je préférerais autre chose, Estelle.

– Écoute-moi bien, Kiki : j'en ai plein le dos de tes cauchemars. Toutes les nuits, tu me réveilles. Alors on va monter dans ce train et, en sortant de ce tunnel, tu n'auras plus jamais peur de rien.

– T'es sûre ?

– Certaine, affirme ma sœur. La peur se guérit par la peur. Elle achète deux billets.

De l'extérieur, le manège ressemble à une horrible caverne entourée de monstres immobiles au regard glacé. On entend des cris, des hurlements, des rires

trop aigus pour être joyeux. Franchement, je
suis mort de trouille.

– Monte là-dedans, ordonne ma sœur.

Elle me pousse dans un wagon à deux places
et s'installe à côté de moi.

– Tu vas voir : après ça, plus
de cauchemars.

– iki ? Kikiiii ?

Je me redresse dans mon lit.

C'est bizarre, on dirait qu'il bouge. J'allonge un peu la tête. M... Mais... Mon lit ne touche plus le sol !

– Kikiiiii....

Et cette voix ? D'où vient-elle ? Du placard ou du coffre ? Soudain, mon lit avance. Il sort de ma chambre !

– Adieu, Kiki, fait la voix avant de rire méchamment.

Je m'engage dans le couloir sur mon lit volant. Tout semble normal, à part mon lit, bien sûr. Je passe devant la chambre de ma sœur.

Sa porte s'ouvre brutalement.

– Estelle ?

Mais c'est un squelette qui apparaît. Il se
lance sur moi. Ses longs doigts osseux effleurent
mon visage. Il s'accroche à mes couvertures.
Je hurle. J'attrape mon oreiller. Je frappe
sur la tête du squelette. Il perd quelques os
en riant.

– Bonsoir Kiki !

Un loup-garou ! Là ! Au milieu
du couloir ! Le lit fonce droit sur lui !

– AU SECOURS ! À L'AIDE !

Le squelette s'accroche à ma cheville. Devant
moi, le loup-garou se lèche les babines.

– AIDEZ-MOI !

– Kiki, c'est un cauchemar, réveille-toi.

Maman allume la lumière. Je suis debout sur mon lit, mon oreiller à la main.

– Le squelette ! je dis. Où est-il ? Et le loup ? Il va me manger !

– Il n'y a pas de squelette, me rassure Maman. Pas de loup non plus. Calme-toi.

Je me jette dans ses bras en pleurant. Ma sœur entre dans ma chambre en se frottant les yeux.

– C'est pas vrai, râle-t-elle. T'es vraiment qu'une sale mauviette.

– C'est ta faute, je fais.
T'avais qu'à pas m'emmener
dans le train fantôme !
Là, ma sœur est moins
fière. Elle fait semblant
de ne pas avoir entendu.
– Estelle, j'espère que tu as
une bonne explication à me
donner, lui dit Maman.

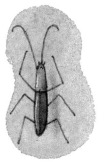

CHAPITRE 5

Yen a marre des cauchemars. Et si je dormais le jour ?... Ça **23** se peut. Mon père, par exemple, il est boulanger. Il dort l'après-midi. Il suffirait de trouver une école ouverte la nuit. Mais ça ne doit pas être facile...

– Espèce de cafard, me lance ma sœur en passant près de moi.

Cette nuit, Maman n'a pas été convaincue par scs explications : le truc du train fantôme, comme quoi la peur se guérit par la peur. Du coup, elle est privée de sortie. Elle qui devait aller dormir chez une copine ce soir, c'est raté...

Franchement,
je m'en veux un peu.
Y en a marre des cauchemars.
Ma tante, mon oncle et ma cousine Julie
sont arrivés en fin d'après-midi. Comme on
est samedi, ils vont rester dormir à la maison.
– Vous avez l'air fatigués, a remarqué ma tante.
– Je t'expliquerai, a chuchoté Maman.
J'ai failli rougir parce que j'avais honte. Mais
Julie a pris ma main. Elle n'a que quatre ans,

et les histoires de grands, ça ne l'intéresse pas vraiment. Elle préfère jouer avec moi, même aux jeux de garçons. Elle s'en fiche.
Julie tire sur ma main et m'entraîne dans ma chambre.

– Ici, on sera cranquilles, dit-elle d'un air satisfait.

– Tranquilles, tu parles, je soupire.

– Où t'as ranzé ta console de zeux ? s'étonne Julie.

– Confisquée.

– Et tes livres qui font peur ?

– Tous confisqués, je répète.

– Et tes screlettes ? Et tes guerriers crallactotueurs ?

– Maman a tout rangé au grenier. Il paraît que ça me fait faire des cauchemars. Pfff, n'importe quoi !

– Moi, je préfère que ta mère elle a tout cronfisqué. Comme ça, j'ai plus peur dans ta sambre.

26

– On dit CHambre, Julie.

– C'est ce que ze dis !

s'énerve ma cousine.

Je m'assois à côté d'elle.

Près du château fort.

Il y a le petit coffre qu'on ouvre et à l'intérieur on voit des pièces d'or. Il y a aussi le prince. Une princesse. Un dragon et des guerriers. Ceux que Maman a épargnés. J'explique à ma cousine :

– Toi, tu prends le château, et moi, je t'attaque pour te piquer ton trésor. D'ac' ?

     – D'ac'. Et à la fin, le crince et la crincesse se marient. D'ac' ?

     – On verra...

CHAPITRE 6

Ce soir, ma cousine dort avec moi.

Julie refuse de dormir seule et Estelle, ma grande sœur, ne veut personne dans sa chambre.

Je termine de me laver les dents et je me regarde dans la glace en me répétant :

– Ce soir, tu ne feras pas de cauchemars, ce soir tu ne feras pas de c...

Ma sœur entre sans prévenir. Elle referme la porte et me fixe avec ses yeux qui font peur :

– Alors, Kiki, tu vas encore réveiller tout le monde cette nuit ! La honte pour toi !

– Arrête, je fais. T'es pas drôle.

– Et tu trouves ça drôle de se faire priver de sortie à cause de sa mauviette de frangin ?

– C'est pas ma faute, je proteste.

– Et si tu te fais dévorer cette nuit par un mort vivant, ce sera la faute à qui ? demande ma sœur en allongeant ses longs bras.

– Arrête ou je crie !

Estelle me montre ses dents en faisant des bruits de succion.

– C'est ça, appelle Maman... et en attendant, fais de beaux rêves...

J'ai les genoux qui tremblent.

Je frissonne encore en entrant dans ma chambre.

Julie est déjà couchée, la couette remontée jusqu'au nez.

Maman et ma tante viennent éteindre la lumière.

– Dormez bien, les enfants, dit Maman en nous embrassant.

– Je peux laisser la porte entrouverte pour Julie ? me demande ma tante.

– Heu, bien sûr, je réponds. D'habitude, je ferme entièrement, mais ça ne me dérange pas.

Julie serre son vieux chat en peluche. Elle suce un reste d'oreille. Ça me fait penser aux vampires.

– T'as pas peur, la nuit ? me demande Julie.

– MOI ? je fais. Tu rigoles !

– Moi, des fois, j'ai peur. Mais là, j'ai pas peur, parce que t'es là.

J'essaie de ne penser à rien. Mais si je ferme les yeux, je vois les yeux de ma sœur. Il ne faut surtout pas que je m'endorme. Je me tourne vers Julie.

– Qu'est-ce que tu caches sous la couette ? je demande.

– Ben, c'est pour pas faire de crauchemars. C'est mon père qui me l'a donné. C'est un bracelet cragique.

– Ça ? Un bracelet magique ?

Je regarde la vingtaine de pièces percées enfilées sur un lacet de cuir.

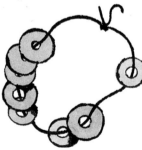

– Ben oui, continue Julie. Si tu fais un crauchemar, tu remues et les pièces font « cling-cling ». Et là, tu te réveilles un peu, et ton crauchemar disparaît. Ce bracelet ferait bien mon affaire…

– Si tu veux, on partage, propose Julie.

– Ouais... Pour te faire plaisir.

Je prends la main de ma cousine et on enroule le bracelet autour de nos deux poignets.

– Bonne nuit, Krikri.

– M'appelle pas Kiki.

– Bonne nuit, Éric.

– Bonne nuit, Julie.

– **T**'as bien dormi ?

chuchote Julie au creux de mon oreille.

J'ouvre les yeux.

Incroyable, pas de cauchemar ! Pas de vampire ou de loup-garou. Seulement le vague souvenir d'un bruit de clochette.

– J'ai SUPER bien dormi ! je réponds en brandissant le bracelet.

– Je te le donne, me dit Julie en étouffant un bâillement. J'en ai deux autres chez moi.

– M... Merci.

Je glisse le précieux bracelet dans la poche de mon pyjama. Finis, les cauchemars !

J'aimerais crier la bonne nouvelle, mais il est encore tôt.

Il n'y a pas un bruit. Tout le monde dort. Oh ! Mais c'est l'occasion ou jamais...

– Tu vas où ? me demande Julie.

– Je reviens tout de suite. Reste là.

Je sors de la chambre sur la pointe des pieds. Dans le grand placard, à côté des W.-C., j'ouvre délicatement le grand sac orange et noir écrasé sous l'étagère du bas. J'en sors un affreux masque mou. Celui que ma chère sœur a acheté pour Halloween. Elle m'a fichu une sacré trouille avant que Maman ne le lui confisque. J'enfile le masque grimaçant et sanguinolent.

– On va bien rigoler, je marmonne entre mes dents.
Sans bruit, j'entre dans la chambre de ma sœur. Je m'aplatis sous son lit.
– Rééééveillleuu-tooâaââ ! je gronde en prenant une voix aussi affreuse que mon masque.

– Hein ? sursaute ma sœur. Qui est là ?

– C'EST MOI ! Je hurle en sortant de ma cachette.

Ma tête monstrueuse se dresse à deux centimètres de son nez.

– AAAAAAHHHHIIIIIIIIIII !

Ma sœur disparaît sous sa couette en tremblant comme une vieille feuille morte.

– ESTELLE ! Tu vas bien ? s'écrie Maman en entrant en trombe dans la chambre.

– L... Le... Lele... Lala... Un monmonstre dans ma chambre ! bafouille ma sœur.

– Mais il n'y a aucun monstre ici, se lamente ma mère. Pour une fois qu'Éric ne fait pas de cauchemars, c'est toi qui t'y mets ! Ça n'en finira donc jamais.

Moi, je sors en rampant de dessous le lit. Discrètement.

Je rejoins ma chambre vitesse grand V avant de sauter dans le lit où m'attend Julie.

– C'était quoi, ce cri horrible ?

– C'est ma sœur, elle a fait un cauchemar, j'explique.

– Ooh, y en a marre des crauchemars !
ronchonne Julie en croisant les bras.
– Ouais, t'as raison, je fais. Marre des
crauchemars !

© 2001 Éditions MILAN – 300, rue Léon-Joulin, 31101 Toulouse Cedex 1 – France

Droits de traduction et de reproduction réservés pour tous les pays.

Toute reproduction, même partielle, de cet ouvrage est interdite.

Une copie ou reproduction par quelque procédé que ce soit, photographie, microfilm,

bande magnétique, disque ou autre,

constitue une contrefaçon passible des peines prévues par la loi du 11 mars 1957

sur la protection des droits d'auteur.

Loi 49-956 du 17 juil. 49

Dépôt légal : 2e trimestre 2001

ISBN : 2.7459.0305.5

Imprimé en France par Fournié